LOUIS HÉMON
AVENTURIER OU PHILOSOPHE?

LOUIS HÉMON

AVENTURIER OU PHILOSOPHE?

Gilbert Lévesque

fides

Couverture :
Conception graphique de Michel Gagnon.

Photographie :
Lydia Louis-Hémon et Armour Landry.

ISBN : 2-7621-1077-7

Dépôt légal : 3e trimestre 1980, Bibliothèque nationale du Québec.

Achevé d'imprimer le 25 septembre 1980, à Montréal,
aux Presses Elite Inc., pour le compte des Éditions Fides.

à
Lydia, fille
de Louis Hémon

ainsi qu'à Louis G.,
né à Péribonka.

Préface

Cette année marque le centième anniversaire de la naissance de Louis Hémon. La Société historique de Montréal, désireuse de souligner l'événement, a invité l'un de ses membres, Gilbert Lévesque, à livrer au public la somme de ses connaissances et le fruit de ses recherches sur l'auteur de *Maria Chapdelaine*. Le présent ouvrage fut donc présenté aux membres de la Fédération des Sociétés d'histoire du Québec, réunis en congrès à Montréal les 16, 17 et 18 mai 1980. Devant la qualité du texte et les réflexions de l'auteur sur le phénomène Louis Hémon, on a souhaité que Gilbert Lévesque fasse éditer son travail pour qu'il soit accessible à tous, afin que les plus vieux y retrouvent, sous un jour nouveau, le romancier qui a enchanté leur jeunesse et que les plus jeunes y découvrent l'observateur de nos mœurs d'antan, le philosophe solitaire, l'angoissé, le non-conformiste et peut-être le réfractaire, l'insoumis. Défauts fréquents, dira-t-on ; non, qualités s'ils sont bien canalisés.

L'auteur a plus qu'une connaissance livresque du romancier ; la rencontre de Lydia Hémon, fille de Louis, lui a valu une approche personnalisée et privilégiée. À travers les réactions de sa fille, on croirait entendre le poète parler, se raconter... et même excuser sa conduite. Aventurier, Louis Hémon l'était certainement pour être allé, au début du présent siècle, s'enfoncer dans les profondeurs d'une région à soumettre, mais philosophe aussi, pour avoir su observer avec justesse les caractères des gens qu'il côtoyait, décrire leurs mœurs, échafauder dans son esprit l'intrigue de son roman et la dénouer avec simplicité dans le cœur de son héroïne.

Gilbert Lévesque peint avec fidélité le portrait de l'auteur de *Maria Chapdelaine,* aidé de Lydia Hémon et de ses devanciers, Alfred Ayotte, Mgr Victor Tremblay et Nicole Deschamps.

À la lecture de cet ouvrage, certains cesseront de voir en Hémon un aventurier, d'autres, « l'fou à Bédard », pour y reconnaître le philosophe qui voyait, semble-t-il, la vie d'un œil autre que celui de ses contemporains. Il mérite aussi le titre de précurseur des temps actuels puisque à une époque où l'on consacrait peu de temps aux loisirs, Hémon s'astreignait déjà à la discipline qu'impose la pratique d'un sport.

N'aurait-il prononcé que la phrase « Ces gens sont d'une race qui ne sait pas mourir », que les trois quarts de siècle écoulés lui donneraient raison.

C'est tout cela que nous retrouvons dans le présent essai qui, tel que présenté, est fort agréable à lire.

Marcel Cadotte,
Société historique de Montréal.

Louis Hémon
aventurier ou philosophe ?

Faut-il que nous soyons assez témé-
raires pour seulement songer rejoindre
le plus insaisissable des êtres ? Un homme qu'on a dit étrange et que l'on
n'hésitera pas à prendre pour un fou.
Et cela, parce qu'il s'est « toujours ap-
pliqué à vivre seul, à ne nouer aucune
relation[1] ». Caractère indépendant, il
n'a jamais fait ce qu'il ne voulait pas
faire — sujet sur lequel il est intraitable.
Dans une lettre qu'il adresse à son père,
le 19 mai 1913, il précise clairement ses
intentions : « Tout comme vous, j'ai
mon code. Je fais ce que je pense devoir
faire ; et quand il s'agit d'une chose qui
regarde moi d'abord, j'entends non seulement faire ce que je veux, mais encore

que vous fassiez ce que je veux ; c'est-à-dire rien[2] ».

Ainsi, il semble que c'est par « une tranquille obstination qu'il étouffait la volonté d'autrui[3] ».

Comme il est fascinant, surtout après cent ans, d'imaginer un homme encore au présent ! Caprice de ma part, j'ai voulu dégager l'écrivain breton de certaines ornières, desquelles je le croyais encore prisonnier. Alors, je me suis demandé s'il était aventurier ou philosophe. Louis Hémon s'offre alors le plaisir de me taquiner ; et qui plus est, de me poser une « colle », (c'est une « manie » dans la famille) : « trouvez vous-même ! »

Il ne faut mésestimer personne, quelle que soit l'apparence qu'elle offre aux yeux de l'entourage. Cet homme, Louis Hémon, exprimerait un jour, « avec un heureux mélange de virilité et de tendresse, la profonde fidélité des colons du Québec aux traditions héritées de la Vieille France[4] ». En des termes clairs et sans aucune ambiguïté, il désignerait, comme par devant notaire, la clause de notre héritage : garder vivante la mémoire du passé ! Application que, pour survivre, on devrait obligatoirement mettre en pratique.

Bref, pour avoir droit à un tel privilège, il nous rappellerait la condition qu'il faut remplir, essentielle celle-là ; « Nous sommes venus il y a trois cents ans et nous sommes restés. Ici, toutes les choses que nous avons apportées avec nous, notre culte, notre langue, nos vertus et jusqu'à nos faiblesses, deviennent des choses sacrées, intangibles, et qui devront demeurer jusqu'à la fin[5] ». Déclaration qui est à la fois une révélation, un témoignage, une sorte d'ultimatum que nous n'avons pu et ne pourrons jamais plus oublier.

Un aventurier peut-il vraiment s'exprimer de la sorte ? Pourquoi pas ? S'il a l'intelligence des choses, pourquoi nous priverait-il de sa pensée ? À plus forte raison quand un aventurier comme Louis Hémon (entendre ici « amant de l'aventure ») sait se réclamer d'une liberté purement philosophique.

« Le cœur humain est ainsi fait, écrit-il, que la plupart de ceux qui ont payé la rançon et ainsi conquis la liberté — l'aise — se sont, en la conquérant, façonné une nature incapable d'en jouir, et continuent leur dure vie jusqu'à la mort ; et c'est à ces autres, mal doués ou malchanceux, qui n'ont pu se racheter, eux, et restent esclaves, que l'aise, — la liberté — apparaît avec toutes ses grâces d'état inaccessible. »

Je vois d'ici l'être de liberté que fut Louis Hémon esquissant, d'un air moqueur, « le sourire supérieur d'une personne d'expérience[6] » laissant transpirer quelque peu, ce qu'il est convenu d'accepter comme « l'orgueil secret de la race élue[7] » : « Rien ne changera, confirme-t-il, parce que nous sommes un témoignage[8] ».

16

Louis Hémon, nous le savons, est né, lui aussi, d'une race fière. Fierté qui apparaît dès le jeune âge à Brest où il voit le jour le 12 octobre 1880. Au fil des ans, elle l'accompagne cette fierté. S'il se fait une amie de son orgueil, elle est aussi son cri, son chant. Pourtant, dès que celui-ci prend conscience de la vie frêle des hommes et des choses, ce cri qu'il porte en lui, sans trop de surprise, d'ailleurs, il a toutes les peines du monde à le comprimer. C'est sans doute pour cela que son personnage Mike O'Brady, dans *Colin-Maillard*, « avait la curieuse habitude de s'énumérer parfois mentalement, l'une après l'autre, et avec une attention scrupuleuse, toutes les raisons qu'il avait d'être heureux[9] ». Instinctif autant qu'optimiste, Louis Hémon apprit à regarder « à travers l'obscurité avec tendresse[10] ».

Et pourtant, cette plainte, la sienne, comme il convient de l'entendre, même par-delà le temps ! Parce qu'à certains jours elle s'accorde à ma mesure, j'ai voulu donner suite à la nouvelle amitié qui m'était offerte aussi généreusement. Ainsi présent à mon esprit, Louis Hémon pouvait entrer désormais, lui si discret, dans le cercle de mes affections légitimes.

Mon approche ? Dans la mesure du possible, je l'ai voulue honnête, j'ai refusé de revêtir l'uniforme du spécialiste. Je n'ai pas désiré, non plus, me substituer à l'historien chevronné, ni au biographe. C'eût été, me semble-t-il, de l'indiscrétion ; je me serais senti presque coupable de décortiquer l'écrivain de tous ses attributs naturels et de ne faire voir de lui, peut-être, que ce qui choque la vue. Mon approche personnelle avec l'auteur de *Maria Chapdelaine* fut tout autre : sentir l'ombre du génie rôder dans mes parages ne pouvait me laisser indifférent.

Alors, j'ai cherché à en savoir davantage, à dépasser, si possible, les commentaires parfois choquants que j'avais lus, pire encore, entendus. Par réaction naturelle, j'ai vu l'occasion de défendre un homme qui, emmuré derrière sa discrétion, n'a jamais cherché à attirer l'attention sur sa personne.

Mon approche de Louis Hémon, je le rappelle, fut d'abord et avant tout amoureuse ; essentiellement et purement amicale.

Au cours d'un séjour que j'effectuais en France, sur le conseil d'un ami, je cherchai à établir un contact avec Lydia Louis-Hémon, sa fille.

C'est à Quimper, berceau de la famille, à 568 kilomètres de Paris, que j'ai eu le bonheur de la rencontrer. Comment oublier cette folle cavalcade dans les rues de l'ancienne Cornouaille ? Trop fière pour laisser voir quelques traces de fatigue, trop heureuse pour songer à formuler une plainte, Lydia, munie de sa canne, menait la marche. La joie qu'elle m'a procurée, la sympathie née spontanément l'un pour l'autre, tant d'affinités, l'émotion de Lydia lorsque je lui ai appris les projets de célébration marquant le centenaire de la naissance de son père, sont indescriptibles ! Elle s'est dite profondément touchée que la mémoire de Louis Hémon soit toujours honorée au Québec.

Et comment en serait-il autrement ? Au cours d'une visite toute récente à Félix-Antoine Savard, l'auteur de *Menaud, maître-draveur,* en plus de me confier que son roman lui « fut inspiré, à l'origine, par Maria Chapdelaine », me rappelle que « Louis Hémon eut une immense sympathie pour le Québec[11] ». Quand je l'informe des remarques pour le moins désobligeantes, entendues au cours de mes recherches, le géant de Charlevoix se penche, hésite un moment, puis me dit : « Dommage ! Car c'est là nier le travail de l'esprit et du cœur. »

À peine étais-je de retour au pays qu'une lettre m'attendait : « Nous sommes bien privilégiés, m'écrivait-elle, d'être aptes à une rencontre de cœur et d'esprit, d'une telle intensité. Et d'une essence sans comparaison facile, je crois.

L'approche du centenaire de mon père me donne une curieuse sensation de vertige, comme si s'éloignait dans le temps celui que je ne puis imaginer que jeune, comme il l'était, lors de sa rencontre avec la mort[12] ».

Comme son père, comme tante Marie, Lydia est célibataire. Elle m'écrit : « J'aimerais avoir un fils qui vous ressemble. C'est un peu lui que le train emportait. » Touché, je me dis qu'une délicatesse de ce genre en appelle une autre. Je décide alors de lui « rendre » son père, de l'installer au présent dans sa vie et dans la mienne. Entre nous deux, sollicitant sa *présence* comme témoin important de « l'amitié qui vient tout ensemble de naître et d'être en chemin vers nous depuis toujours[13] » ; c'est en passant par la fille que je devais rencontrer le père.

Lydia me parle de son grand-père Félix avec beaucoup d'affection. D'ailleurs, il est aisé de la comprendre

après qu'elle eut indiqué sur le mur
une magnifique sanguine signée F. Cormon (Il s'agit de Fernand Piestre dit
Cormon, peintre français, ami de la famille). Le portrait représente un homme songeur dont le faciès laisse tôt reconnaître l'inspecteur général de l'Ins-
truction publique : fier, quelque peu
hautain, superbe. Retenons seulement
que sa paternité responsable dut es-
suyer quelques coups si l'on songe que
Louis fit des études assez fantaisistes,
particulièrement à l'époque où il fré-
quentait le lycée Louis-le-Grand. Tantôt à la tête, tantôt à la queue de la
classe (ou presque), il proclamait en famille : « Qu'est-ce qu'une place de
composition comparée à l'Éternité[14] » ?
Déjà, devant nous, le philosophe.

Et, parce qu'il est conséquent avec
lui-même, Louis sera en mesure d'écrire
quelques années plus tard : « Quand le
monde est couleur de nuages et de
boue, j'allume ma fidèle pipe et je me
raconte à moi-même des histoires : l'his-

toire détaillée de toutes les choses heu-
reuses qui ne pourront manquer d'arri-
ver un jour ou l'autre ; comme cela ne
coûte rien... je corse la dose... et je
m'accorde à moi-même assez de félicités
pour effacer tous les mauvais jours. »

Comme s'il avait voulu nous prou-
ver jusqu'où ses capacités pouvaient
l'entraîner, il ajoute, sagement : ces félicités, « si elles ne venaient pas, ce serait
déjà quelque chose de les avoir atten-
dues avec confiance jusqu'à la fin[15] ».

*

*   *

« Mon grand-père était un homme
de lettres, poursuit Lydia. Et son plus
grand regret, c'est de ne pas avoir vu
ses fils, Félix et Louis, embrasser la car-
rière universitaire. Hélas ! dit-elle, pendant trop longtemps, on l'a fait connaître comme un homme très autoritaire.
Ce qui n'était pas le cas. Aussi, est-il
grand temps de rétablir les faits ! À la

maison, c'est ma grand-mère et tante Marie, l'unique sœur de Louis, qui menaient. Ma tante était très malcommode. Pendant 17 ans, j'ai été sa bonne et son infirmière. Et elle est morte, voyez-vous, dans sa 87e année. Ce que j'ai pu endurer. Ce serait vraiment trop long à raconter. Mon Dieu, mon Dieu, comme je comprends mon père d'avoir foutu le camp ! Ce qu'on a dû lui empoisonner l'existence[16] » !

Empoisonner ! Je ne crois pas qu'on ait tout à fait réussit à le faire. Louis trouve vite le moyen de transférer ailleurs son besoin d'évasion, c'est-à-dire d'étancher sa soif de liberté dans la pratique du sport. Selon Maurice Schmit, ancien secrétaire de l'Association des Anciens Élèves du lycée Louis-le-Grand, à Paris, Hémon dans le sport, « ne recherche pas tant les championnats que la discipline qui en découle[17] ». Dans une nouvelle qu'il publiera le 3 février 1906, l'auteur de Maria Chapdelaine déclare « admirer et chercher l'équilibre parfait et cet état de force harmonieuse qui rend semblable aux dieux ». Lui-même, d'ailleurs, attribue son bon équilibre qu'il n'hésite pas à citer en exemple au fait qu'il ne se préoccupe de rien. Ce qui incite Nicole Deschamps à se demander « si Hémon ne trouvait pas dans l'épanouissement physique une sécurité affective dont il avait absolument besoin, une façon peut-être d'endiguer une sensibilité trop vive ». Quoi qu'il en soit, cela n'empêchera nullement Louis Hémon de poursuivre sa courte vie en aventurier... ou en philosophe.

Quand le 12 mai 1904, il écrit dans *Le Vélo* : « Ô rivière, que ma prose est pâle quand j'essaie de te célébrer », Louis Hémon se prédispose à la rencontre-choc de la « Grande-Pari », ainsi appelle-t-on encore de nos jours la grande rivière Péribonka. Péribonka, dont le nom signifie « rivière creusée dans le sable[18] ».

À Péribonka, Hémon, que l'entraînement a rendu assez souple, s'empresse d'épouser « la philosophie des gens de la terre que l'effort quotidien éduque à la prudence, à la prévoyance, à la sagesse[19] ».

Avant de quitter l'Europe, Louis Hémon avait écrit quantité de nouvelles, en collaboration avec différents journaux et revues, entre autres, dans *Le Temps* et *Le Vélo* : « pages saisissantes, elles éclairent et annoncent toute une existence — depuis les fugues juvéniles jusqu'à celle qui terminera tout[20] ». Je songe ici, à « Jérôme », nouvelle parue dans *Le Vélo* , le 26 octobre 1904.

« Jérôme ! » s'écrie Lydia, « c'est là tout mon père ». Car toujours « sa grande affaire fut d'être seul, de marcher avec ces instruments démodés, disait-il lui-même, mes pieds[21], et d'observer gens, bêtes et choses[22] ». Louis Hémon aspirait « à la joie démesurée d'une bête soudainement libre[23] ». Certains jours, dès qu'il gagnait la vraie campagne, il se sentait envahir par une joie immodérée. Contentement qu'il exprimait d'une manière aussi grande à d'autres jours, par la fête qu'il accordait à la découverte du mot « juste ». « Ah ! Jérôme, dit Lydia. C'est, de loin, la plus belle chose qu'il ait écrite. » N'ayant pas encore lu *Monsieur Ripois et la Némésis*[24], je ne pouvais absolument rien avancer.

Au retour cependant, à la lecture de l'ouvrage que j'avais désormais entre les mains, j'ai cru reconnaître Monsieur Ripois « que la vie intéressait... parce qu'il était avide de voir ce qu'il pourrait bien tirer du jour nouveau[25] ». Tout comme son père, Lydia m'a semblé capable d'une très grande souplesse. Et tout comme Monsieur Ripois, je l'ai sentie en mesure d'accepter, sans trop de fluctuations, « *l'inconnu du moment et les possibilités mystérieuses des minutes à venir*[26] ».

À l'heure du déjeuner, j'invite Lydia au restaurant de l'Odet, nous causons beaucoup. De tout, de rien, à bâtons rompus, à la hâte, tant nous craignons de n'avoir pas le temps de tout dire. Au milieu de nous, tel que nous l'avons souhaité, Louis, son père. Et présente dans l'absence, sa famille : « Ma tante, dit-elle, irrascible comme tout, m'empêcha d'aller étudier l'anglais à Londres ; par crainte, sans doute, que je rencontre un membre de la famille de ma mère. Un « secret » que je n'ai appris qu'à l'âge de quinze ans. Et que ma tante, jusque-là, avait gardé jalousement pour elle. Tout comme les papiers personnels, d'ailleurs, auxquels je n'ai eu accès qu'après sa mort. Vous vous rendez compte ! Heureusement, je ne venais à Quimper qu'au temps des vacances. Comme mon père, d'ailleurs, pendant quelques années. Mais lui, c'était autre chose ! »

Épris de liberté, il n'hésitait pas à passer « des heures entières dans le creux d'un rocher, les yeux fixés sur la vague[27] ». Sans doute, Louis Hémon, profitait-il de l'occasion toute désignée pour pouvoir s'évader ? « Parcourir le monde et le décrire, tel serait son rêve[28] ».

Lydia réussit un jour, tout de même, à déjouer l'agir de sa tante, parce qu'elle voulait dénouer la mystérieuse intrigue de ses origines. C'est ainsi qu'elle découvrit, au cours de vacances, toute une correspondance entretenue entre sa tante Marie, et une sœur de sa mère, Lydia O'Kelly, la tante Kittie. Découverte qu'elle fit en 1949, en même temps qu'une photographie.

La tenant précieusement dans les mains, elle descend au premier et pénètre dans le salon où des cousins étaient réunis. Avec un sérieux qui, cette fois, ne laisse plus aucun doute, elle demande : « Qui est-ce ? » Celle dont les journaux de Londres publiaient la mort, en janvier de la même année était sa mère (décès de Madame Louis Hémon), dont, jusqu'à ce jour on lui avait caché les traits. Lydia venait tout juste d'avoir quarante ans.

Dans une lettre qu'il écrit le 20 avril 1910, Louis Hémon confie : « si je n'étais pas patient aussi... j'aurais quelquefois de mauvais moments ; mais je le suis. » Je crois que Lydia le fut aussi. Mais alors, comment expliquer le comportement pour le moins « castrant » de la tante Marie ? Comme il serait heureux et souhaitable d'avoir sa version...

Esclave des préjugés et des ragots de son époque, véhiculés comme on peut se l'imaginer, la force des choses lui conférant une responsabilité pour laquelle elle n'avait jamais été préparée, peut-on seulement prévoir sa réaction ? Qu'une enfant vous tombe dans les bras, inopinément, cela ne laisse pas de surprendre un peu. Surtout, si l'on considère qu'on était peu « marieux » dans la famille Hémon. Or dans les circonstances comment interpréter l'événement ?

Dans son for intérieur, Marie n'a pu oublier qu'on lui avait confié cette enfant. De là à pressentir sa réaction, il n'y a qu'un pas : « Comme un fruit trop tôt retiré de la branche, pour qu'il mûrisse, je dois veiller sur Lydia. » Il s'agit là, bien sûr, d'une hypothèse.

Par ailleurs, sa fierté tout hémoniste ne pouvait que reconnaître la gravité du rôle qu'elle n'avait pas choisi, mais qu'il lui fallait remplir. Et, dans le secret de son cœur, elle dut se dire : « Moi, Marie Hémon, que jamais je ne sois l'objet d'un seul reproche. »

« Et tante Marie, demandai-je, vous lui en voulez ? » « Non, répondit Lydia, je suppose qu'elle croyait bien faire. » Ah ! s'il avait vécu, que lui aurait dit son père pour la consoler : « N'oublie jamais (Lydia) la douceur des choses envisagées avec simplicité[29] ». Et pourquoi ne m'appuyerais-je pas sur une nouvelle qui a pour titre « Les canotiers », dans laquelle Hémon indique comme sûre « la montée lente de la rude affection qui doit unir les hommes qui ont connu le même désir et souffert à la même tâche ».

*

* *

Quoi qu'il en soit, aventurier ou philosophe, Louis Hémon n'est pas bête du tout. Car, au dire de Claude Barjac, « il distille son esprit goutte à goutte, à la manière anglaise, au lieu d'en faire profusion, à la manière française[30] ».

Nicole Deschamps, à qui nous devons la publication des *Lettres à sa famille* constate, pour sa part, que Louis Hémon « observe avec sympathie et juge sans complaisance[31] ».

Jacques de Marsillac, contemporain et ami de Louis Hémon, nous présente celui-ci comme correspondant assez bien au personnage que notre esprit tente d'évoquer. Le futur auteur de *Maria Chapdelaine* reçoit, ici, ses premières lettres de noblesse : « Hémon, déclare-t-il, une des créatures les plus droites qu'on puisse imaginer. Il était affligé d'une confiance dans l'honnêteté d'autrui, dure comme le granit de son pays... Comme il aimait la vie et le vaste monde, avec tous ceux qui le peuplent, il avait les sentiments les plus délicats, la noblesse de pensée et la droiture dont on rêve pour ceux qu'on aime[32] ».

S'il lui est presque physiquement impossible de faire des confidences, ce sont là ses mots, Louis Hémon n'est pas sans soupçonner que, dans la famille, on le tient pour un raté. Ce qui ne l'empêche nullement de perdre de vue l'essentiel ! Cinq jours avant de quitter Londres, il adresse une lettre à sa mère dans laquelle il lui confie : « Je ne perds pas une bribe de confiance. » Oh ! comme Louis possède des affinités avec son personnage Pat, dans *Battling Malone,* qui était toujours « prêt à parier son dernier shilling sur sa propre chance ».

Mais, poursuivant la lecture de la lettre du 7 octobre 1911, on peut s'attarder à ce commentaire pour le moins judicieux que Louis adresse à sa mère : « Tout ne va pas comme dans les contes de fées ; il y a bien des choses, qui me donnent l'air d'un déséquilibré — ce qui n'a pas d'importance. Et d'autres, qui me donnent l'air d'un paresseux et d'un incapable, ce qui est plus ennuyeux. »

Confiant, Louis l'est d'abord dans sa vocation : « travailler, tout juste pour vivre, et poursuivre son idéal littéraire. Après tout, la vie, ce n'est pas l'argent. Ce n'est pas travailler tous les jours, dit-il, du matin au soir. La vie, c'est aller ici et là, c'est voyager, c'est observer, c'est respirer un peu de liberté, c'est pénétrer l'âme d'autrui sous différents climats[33] ».

Quelle leçon merveilleuse où Hémon nous invite à « redescendre, degré par degré, vers la simplicité de la création primitive[34] ». Et son rêve se poursuit. Et le nôtre l'accompagne !

Désireux de voir de près des métiers généralement considérés comme humbles, Hémon quitte Liverpool, le 12 octobre 1911 ; soit le jour même de son 31e anniversaire de naissance. « Il s'embarque sur le *Virginian* qui le dépose, six jours plus tard, à Québec[35] ».

« Québec ! m'écrit Lydia. J'ai la nostalgie de Québec et je m'accroche à mes souvenirs de 1938, avec une vraie tendresse. » À Québec, qu'il trouve sympathique, Hémon « reconnaît la musique des mots français et l'accent du terroir[36] ». « Relisant, dit-elle les longs extraits des impressions de mon père à son arrivée au Canada, il me vient une émotion à en pleurer[37] ». — Lydia, qui est bien la fille de son père, a compris depuis longtemps qu'il n'y a qu'une seule façon de célébrer la beauté du monde : c'est la manière dont on la comprend !

« Réfugié sous un kiosque pour se protéger de l'averse, Hémon constate que les cloches ne cessent pas un instant de se répondre, d'une rive à l'autre, et d'un bout à l'autre de cette ville qui leur appartient[38] ».

Dans le célèbre roman qu'il va bientôt nous laisser, puisque lui-même est arrivé à la saison avancée, Hémon remarque que « partout, l'automne est mélancolique, chargé du regret de ce qui s'en va et de la menace de ce qui s'en vient ; mais, poursuit-il, sur le sol canadien, il est plus mélancolique et plus émouvant qu'ailleurs ; et pareil à la mort d'un être humain que les dieux rappellent trop tôt, sans lui laisser sa juste part de vie[39] ». Comment ne pas nous émouvoir devant une telle prémonition !

Désormais, Louis Hémon sera séparé des siens par « la grande mare », l'océan, qui éloigne par son immensité les deux continents.

« Pourquoi sont-ils si loin, ceux pour qui j'existe réellement, alors que j'aurais tant besoin de présences ? » Ce cri de Lydia, exprimé dans une de ses lettres, son père Louis aurait-il jamais osé le laisser s'échapper ? « Je n'ai pas encore demandé de faveur, pas avec des mots[40] ». C'est, du moins, la remarque qu'il fait passer par la bouche de Maria, au soir des mille avés. Mais, il ne faut pas s'imaginer tout de même que je veuille laisser croire que Louis Hémon cherchait à s'isoler pour mieux entretenir ses lueurs moroses. Car il est bon de savoir qu'à ses heures, Monsieur Hémon savait faire de l'esprit.

Mademoiselle Éva Bouchard qu'une pieuse légende substitua, pour un temps, à *Maria Chapdelaine,* sut recueillir de Samuel Bédard son beau-frère, l'épisode que voici : « Chez les Bédard, à Péribonka, on disait l'*Angélus* et le *Bénédicité* avant les repas. Un jour Titon dit : Monsieur Hémon, y'a pas fait son signe de croix. Y va-t-y aller en enfer ?

« Assurément, répondit Hémon, ma place est retenue !

Vous n'aurez pas de misère à l'avoir, de faire remarquer Laura Bouchard, la femme de Samuel, y'en a pas beaucoup qui retiennent leur place à l'avance[41] ».

Or, dans sa lettre du 5 septembre 1912, de Péribonka, Hémon écrit : « Ce qui me plaît ici, c'est que les manières sont simples et dépourvues de toutes affectations. » Cette simplicité des gens de la terre, de laquelle il se réclame, il ne pouvait que la communiquer à son œuvre. C'est sans doute pour cela que, depuis, elle a peu vieilli. C'est certainement cette même simplicité débonnaire de la langue, si savamment exprimée, qui consacre et le génie et l'œuvre de l'écrivain. À cet effet, voici un témoignage de notre plus virulent pamphlétaire Valdombre.

S'appuyant sur le fait qu'il est extrêmement difficile pour un écrivain canadien de continuer ou de répéter le romancier français, en employant les règles du roman traditionnel, il ira jusqu'à déclarer à Québec, dans une conférence : « Louis Hémon a tout pris ; il nous laisse à peine quelques souches[42] ». Claude-Henri Grignon que tous ont reconnu n'a jamais été un adepte des compliments élogieux. J'en prends pour exemple ce reproche qu'il adresse à Hémon : « Il a doré le décor (dans le sens de fixer une dorure) ; plus que cela, il a doré notre langage. » Pourtant, dans sa même critique de *Maria Chapdelaine*, le Lion du Nord confessera que « la beauté et la véracité des dialogues sont capables d'émouvoir les cœurs et les esprits les plus durs ». Mieux encore, il avouera que c'est là, justement, dans ses dialogues, que Louis Hémon « se montre le plus vrai ».

S'il n'aimait pas écrire de lettres, Louis en a pourtant envoyé beaucoup. Mais enfin, pourquoi a-t-il tant aimé changer d'adresse ? Par soucis financiers, car ses lettres en témoignent chaque fois ; il est douteux, comme le dit si bien Nicole Deschamps, que Louis Hémon n'échappe jamais tout-à-fait à sa légende. Même ses lectures demeurent pour nous un profond mystère. « Adolescent, il avait aimé Victor Hugo jusqu'à en réciter tout haut des passages dans sa chambre. » Lorsque à Montréal, au mois d'avril 1913, il reçoit enfin les *Filles de la pluie,* un roman qu'il avait commandé depuis un bon moment, il marque sa surprise, car ce n'est pas un exemplaire mais deux qu'il trouve sur sa table. Ce qui lui fait dire à *Bonne Poule,* sa sœur Marie : « Deux exemplaires du même livre, ça me donne la sensation de la vie à grandes guides. »

*
* *

Lorsque je reçois une dépêche de Lydia, je me dis qu'elle a hérité du style de son père. Aussi direct, en tout cas ! « Je veux bien admettre que nous soyons difficiles, tous deux. Ce qui nous arrive... est certes, peu ordinaire. Mais, tant pis pour les autres, les pauvres ! Je me sens bien la fille de mon père, si étrangère au conformisme et aux conventions. »

Lydia poursuit : « Je relis de très près *L'Aventure Louis Hémon,* de mes si chers amis Alfred Ayotte et Mgr Victor Tremblay. Ils me font tellement rencontrer mon père que je m'attends presque à le voir entrer dans cette maison de Quimper, où je vis, et devant laquelle il a bien pu passer, il y a quatre-vingts ans. Jamais personne, je crois, (en dehors de certains de ses proches et plus que certains, d'ailleurs), ne m'apparaît avoir compris, psychologiquement, le caractère et la façon d'être de ce garçon dépareillé, dont je ne suis pas peu fière d'être la fille. »

Hélas ! nous ne serons jamais autres que ce que nous sommes ; des êtres à qui, comme le dirait si bien Louis Hémon, « quelques heures de bon temps donnent une illusion de vie large et joyeuse[43] ».

Comme il me plairait de le voir intervenir entre nous deux. Quelle belle discussion en perspective ! En supposant, bien sûr, qu'il soit un peu plus bavard : « Ce que nous aurions besoin, pourrait-il dire, certains jours, c'est qu'une fraîcheur délicieuse descendît sur la terre comme un pardon. » Hélas ! c'est seulement lorsque la situation l'oblige que nous nous décidons enfin à prendre conscience de notre privilège d'exister. Avec quelle lenteur nous admettons la chose ! C'est sans doute pour cela que nous lui accordons un prix dérisoire. Sur ce sujet, Louis Hémon n'a plus rien à apprendre ; sinon qu'il s'oblige toujours à mieux observer les manigances des hommes qui ne savent plus quels prodiges inventer, pour ne pas se retrouver en deuil du même espoir mort-né[44].

Comme Hémon, je me pose, souventes fois, l'éternel problème de la contradiction de l'être chez qui la connaissance, le savoir, le doute et la bonté, l'ignorance et la mesquinerie, les largesses du cœur et l'étroitesse d'esprit, se font constamment de mauvaises passes. Comme s'il s'agissait de jouer à cache-cache ou à colin-maillard. Ce jeu, si banal en soi, Louis Hémon l'avait toisé depuis longtemps. Il en avait même fait l'objet de son premier roman. Combien, aujourd'hui encore, la clairvoyance de cet homme m'aide à prendre conscience que la contradiction de l'être, dans son agir, est probablement ce qu'il y a de plus difficile à prévoir et à surmonter. Chaque jour qui passe voit transpirer, tour à tour, la même aptitude à être à la hauteur et la même propension naturelle à la bêtise. Et parce qu'il en est ainsi et qu'il n'en peut être autrement, il faudra toujours que je me souvienne que Louis Hémon a « su garder au cœur son éternel pressentiment d'aventure[45] » et qu'il n'a jamais cessé de se soucier du prix que lui réclamait sa liberté. Cette liberté, comme elle lui fut chère ! Et si, comme d'aucuns le croient, l'auteur de *Maria Chapdelaine* est un aventurier, il ne parle jamais qu'a-

vec une tendresse et une admiration se-
crète de l'aventurier de Mistassini, le
guide, le portageur des grands bois sau-
vages qui, à maints égards, lui ressemble comme un frère jumeau[46].

Quand on a l'ombre et le doute
pour partage, on cherche toujours à savoir de quel côté se lève le soleil ! Aussi,
je ne crois pas que Louis Hémon soit
« le type de français pittoresque qui
s'en va à l'aventure, à travers les pays,
abandonnant derrière lui les cœurs
moissonnés[47], un peu comme on fait la
moue sur une proie facile. Je ne le crois
pas capable d'une telle infamie. Car,
lorsqu'il dépose dans la bouche d'*Ella*
ces paroles que seule la femme a le courage de dire tout haut : nous nous ai-
mons ! il a la prudence d'ajouter : « il
vaut mieux ne pas en parler avec des
mots qui ont déjà servi à d'autres ; parce que les autres n'ont pas aimé comme
nous[48] ».

*
* *

« Peut-on se fuir soi-même comme on fuit une ville[49] ? » D'une première constatation naît une autre évidence : on ne clôt pas un chapitre de sa vie en déménageant. C'est Montaigne, dans ses *Essais* qui, devant tous ses départs avortés, signale : « L'âme qui n'a point de but estably, elle se perd ; car, comme on dict, c'est n'estre en aucun lieu, que d'estre partout[50] ». Par ailleurs, si l'on doit déplacer ses pénates aussi fréquemment que le fit Louis Hémon, c'est beaucoup plus pour diminuer son angoisse qu'autre chose. Il y a quelques années, un ami me racontait l'aventure d'un homme qui, toute sa vie, avait souffert d'angoisse. Devenu octogénaire, il avait traduit tout simplement l'origine de son malaise par « la peur du possible ».

Louis Hémon l'a sentie cette angoisse, telle qu'il l'a décrite lui-même : « lourde comme la couverture de plomb des cauchemars, décourageante comme un fléau auquel on n'échappe pas[51] ».

Pourtant, ce qui me fascine chez lui, c'est que chaque coup dur semble vouloir consolider davantage ses positions et contribuer à maintenir en équilibre son éternel optimisme. Capable, à ses heures, de sagesse et de prudence, en quittant Londres en 1911, il ne s'engagera dans le futur, qui comme on le sait est un véritable labyrinthe, qu'avec précaution « en tâtonnant, de peur surtout de se faire mal à lui-même, mais un peu aussi de peur de faire mal aux autres, parce qu'il sait qu'il pourrait souffrir par eux[52] ». Sagesse que cela ! Et qui n'est rien d'autre qu'une volonté de survivre. C'est pourquoi Louis Hémon se charge lui-même de nous rappeler qu'il n'a pas fait qu'aimer la vie, mais qu'il a su en rire. Comme il a appris à se moquer de lui-même, d'ailleurs. Et pendant son séjour au Québec, dans une des lettres qu'il adresse à sa famille, mi-sérieux, mi-blagueur, l'écrivain annonce qu'il va « briller de son éclat ordinaire jusqu'au printemps[53] ».

En 1913, Louis Hémon avait-il de grandes ambitions ? Tous s'accordent à reconnaître que son ambition principale fut toujours en mesure d'en surprendre plus d'un. De nos jours encore, bien malin qui veut le suivre s'il n'accepte pas, au préalable, de pouvoir promener toutes ses possessions dans un sac de voyage, sinon dans ses poches. Comment ai-je pu seulement croire que j'y arriverais, moi qui ai la mauvaise habitude de m'encombrer de bagages trop lourds ? Étais-je vraiment en mesure de me rendre ainsi jusqu'à Péribonka ? Eh bien ! croyez-le ou non, j'y suis arrivé... chargé comme un mulet !

*
*   *

Péribonka, seconde étape de ma démarche : une épreuve d'endurance que de s'être fixé comme objectif de rejoindre « l'fou à Bédard », comme on l'appelait ici. Péribonka, où j'étais passé déjà. Que penser de l'endroit ? Espaces vastes où prime immanquablement une solitude déroutante : décor du bout du monde !

C'est à Péribonka, « au pays de Québec », en interrogeant les habitants, en observant leurs menus déplacements que Louis Hémon sut déclarer (mais avec quelle assurance !) : « Ces gens sont d'une race qui ne sait pas mourir[54] ».

Est-il besoin de spécifier que le créateur de Battling Malone, pugiliste, en même temps qu'observateur averti, n'est pas venu chez nous pour répondre seulement à un caprice ? Même si le goût de l'aventure, toujours actuel, bouillait dans ses veines. Grand silencieux, attentif à ses voix profondes, intérieures ; avare de confidences, Louis Hémon craindra toujours de ne rien dire qui puisse ressembler à un commencement de promesses. C'est alors que « sa prudence, sa sagesse, sa douceur pour les enfants, sa timidité et sa réserve, seront mal comprises ; comme celles de Maria, d'ailleurs, dont le personnage est apparue à plus d'un lec-

teur, naïve et empotée ; un peu gourde.
Alors qu'à d'autres yeux, elle apparaît
si fine, si sage, si intelligente[55] ».

Que saurions-nous sur nous-mêmes
et sur l'immensité du pays de Québec,
sans la pertinence et l'exactitude de ses
observations ? Il aura fallu qu'un Français *effacé* s'attarde à Péribonka, pour
qu'un jour le Québec puisse goûter au
bonheur de figurer sur la carte du monde. Faut-il rappeler l'accueil peu favorable que des critiques, envieux et jaloux,
firent à ce roman ? De chers petits
clercs bien cirés qui craignaient de passer pour des colons. Ils n'ont rien compris ; car, existe-t-il fierté plus grande
que celle d'ouvrir un pays à la connaissance du monde ?

Sans Louis Hémon, comment aurions-nous pu connaître l'effacement
généreux d'une mère Chapdelaine ?
Comment aurions-nous pu seulement
comprendre et accepter l'intransigeante
dureté innocente d'un père Samuel ?
Les époux Chapdelaine, Samuel et
Laura, Esdras et Maria, de beaux

noms, disait Louis Hémon, majestueux et sonores[56]. À ceux-là, d'autres s'ajoutent : Eutrope Gagnon, Lorenzo Surprenant, Edwige Légaré, leur homme engagé, Da-Bé et Ti-Bé, Télesphore et Alma-Rose. Ils font désormais partie de notre patrimoine culturel : des monuments qu'on ne pourra plus jamais détruire, parce que fondus à même notre histoire. Voilà un fait !

Mais, il ne faut surtout pas croire que tout allait sans heurts, à Péribonka. De « la barre du jour » jusqu'à la brunante, « entre chien et loup » comme on disait à l'époque, l'homme trimait sans arrêt. Mais, s'il travaillait dur, il n'était certes pas le seul rivé à l'attelage du quotidien. À la maison, la femme devait tout faire de ses propres mains. Son bonhomme était-il déjà au lit, qu'il lui fallait « forbir » encore : une fournée à surveiller, des culottes à repriser, souvent, à la lueur hésitante d'une chandelle ou d'une lampe à pétrole. Celle-ci éteinte, à quoi la mère pouvait-elle encore songer ? À ses enfants, bien sûr !

Mais enfin, lui restait-il quelque chose à faire : « Ah ! mon Dieu, mes prières ! »

Et son devoir d'état !

Que nous sommes loin de cette époque, nous qui cherchons à combler le vide de nos vies, gaspillons à tour de bras.

À Péribonka j'ai remarqué ce que Louis Hémon avait su m'en dire lui-même : « La vie du bois était quelque chose de si lent, qu'il eût fallu plus qu'une patience humaine pour attendre et noter un changement[57] ». Se souvient-on de ce que le romancier avait déjà confié : « Si je n'étais pas patient, aussi. Mais je le suis. » Sa patience l'aura bien servi. C'est ainsi qu'il put vérifier, avec justesse, l'entêtement séculaire de nos conifères en saison hivernale : « le sol blanchi, écrivait-il, ne connut plus comme parure que le vert immuable des arbres sombres qui triomphèrent, pareils à des femmes emplies d'une sagesse amère, et qui auraient échangé pour une vie éternelle leur droit à la beauté. » La beauté, splendeur du Vrai ! Admettons donc, une fois pour toutes, que Louis Hémon ne fut jamais autre chose qu'un auteur soucieux de dire vrai. Souvenons-nous, également, qu'avant de quitter Péribonka, Monsieur Hémon (ainsi l'a-t-on toujours nommé chez les Bédard) a promis devant quelques familiers de rendre célèbres leur coin de terre et leurs noms. Louis Hémon a tenu promesse ! Il a donné suite. Il a dit vrai !

À notre tour, maintenant, de lui rendre « sa politesse », comme disaient les Anciens. Non pas par une fausse reconstitution historique des événements, mais par une fidélité à l'égard de ceux qui ont « ouvert » ce pays. Par là même, nous toucherons bien le cœur de celui qui voulut s'improviser leur chantre. Improvisation, pour la moins discrète, que le sentiment populaire, toujours avide de nouvelles histoires à inventer, avait tôt fait de taxer de comportement étrange ; alors que Louis Hémon ne faisait qu'observer.

En cette année du centenaire de sa naissance, la meilleure manière de rendre hommage à Louis Hémon et conséquemment à l'œuvre qui nous a fait connaître mondialement serait, je crois, de fournir l'occasion à tous les visiteurs qui se rendront à Péribonka de rapporter dans leurs bagages le souvenir d'une aventure culturelle au pays du Québec. Ce serait, il me semble, une excellente occasion d'être fidèle aux sources ! Ainsi, les jeunes et les moins jeunes, que l'on veut sensibiliser à la conservation du patrimoine, se verraient enseigner, sur les lieux mêmes, une histoire qui ne serait plus farcie d'anecdotes truffées, mais, enfin, quelque chose d'authentique. N'est-ce pas qu'il est toujours temps, selon l'expression même de Lydia, de rétablir les faits ?

Notre histoire, parce qu'il s'agit bien de la nôtre, ainsi présentée, on éprouvera alors un plaisir et une joie capables d'être renouvelés. Car, être à Péribonka sur le terrain même qu'a arpenté Louis Hémon, longer la rivière, goûter la plénitude du lieu, en empruntant son regard, revivre en paroles l'émotion pathétique de la Mère Chapdelaine « avoir un beau règne ! », voilà qui est à vivre.

Dans une lettre que j'adressais, à Lydia Louis-Hémon, j'ai voulu renouveler mon amitié. Car, sans elle, aurais-je pu sympathiser avec le père ? Une dette dont je devais m'acquitter : « L'amitié qui nous unit, désormais, m'autorise à l'approche que voilà. Sinon, comment admettre et reconnaître sa valeur et son authenticité ? » Et je poursuis : « Chère Lydia, j'ai le cœur en fête ! Je suis à Péribonka, au pays de *Maria Chapdelaine*. Depuis hier, un peu à la manière de l'auteur du célèbre roman, votre père, j'ai voulu observer, à mon tour, les gens d'ici : héritiers d'une légende extrêmement intéressante. À Péribonka, terre de solitude, pays du bout du monde, j'ai voulu me rendre afin de ré-entendre et le récit et le battement de cœur de tous ces personnages si simples que son auteur, librement, a livrés à notre littérature universelle. Ce fut là ma façon de lui rendre hommage. »

« Mais c'est aussi l'occasion de vous redire le bonheur que j'ai de vous posséder comme amie : heureuse et douce possession où l'absence devient présence et où, derrière les mots lus, j'entends désormais deux voix chères. »

Dans l'une de ses toutes dernières lettres, si Lydia me confie qu'elle est plus que faiblarde, elle ne manque pas d'ajouter que « seule l'amitié est solide ». C'est son dernier cri ! Un cri qui devient un aveu. Un aveu qui me rend songeur. Comme il est à plaindre le malheureux qui croit tout savoir, et qui, jamais, dans toute sa vie, ne s'est interrogé une seule fois sur l'importance du brin de paille, de la source dans les ravins. Quant au cri désespéré qu'il comprime en lui, qu'en sait-il ? Plainte inavouée qui fait parfois plus de ravage que tous les aveux du monde réunis.

Au lendemain de la lecture de *Co-lin-Maillard*, j'ai souvenance de m'être senti perplexe. *Colin-maillard*, me dis-je, convient beaucoup plus à un jeu qu'au titre d'un ouvrage. J'avoue sans peine que son seul titre m'en a fait retarder la lecture. Et pourtant, grâce à ce livre, je devrai toujours à Mike O'Brady, personnage central de ce roman, de s'être chargé de me faire comprendre l'intention cachée de son auteur. *Colin-maillard*, un jeu ? Mais oui ! Un jeu que l'on refuse d'admettre, auquel on refuse même de s'identifier. Alors qu'à tous moments, à la grande première du quotidien, on nous compte parmi la distribution.

Colin-Maillard, c'est le jeu de la grâce et de la volonté, de la lutte sauvage et sourde que se dispute le courage face à l'abandon. C'est l'agaçante hésitation entre l'épineux compromis et la solution véritable. C'est, enfin, toute la différence du monde entre l'ange et la bête qui veillent en nous : irréconciliables parce que différents. Mais c'est aussi, hélas, l'évidence d'un combat perpétuel à livrer.

Au milieu de cet enfer : Mike O'Brady alias Louis Hémon. Je prends pour appui ce que Julien Green, romancier français devenu académicien, a déjà dit de lui-même : « Je suis tous mes personnages ». Or, Mike O'Brady-Louis Hémon, se demande, s'il doit accepter l'heureux ménage des contradictions ; lui, dont « la complète indépendance qu'un homme digne de ce nom doit tenir comme un privilège se veut plus précieuse que le pain[58] ».

Louis Hémon n'aura pas trop de cette indépendance, si précieuse pour un écrivain, afin de mettre à nu le clair-obscur qui s'attache à la question métaphysique dont, secrètement, il est si soucieux. Indigné du peu de reconnaissance qu'ont manifesté, jusqu'à ce jour, les fils d'Adam, le romancier fera dire au vieil Hydleman, boutiquier de l'Est de Londres (et juif par surcroît !) : « Ça paraît vraiment dommage de gaspiller le royaume des cieux pour des hommes qui se trouvent parfaitement satisfaits de vivre ici-bas, comme des pourceaux[59] ». Est-ce pour conserver intact le sens mystérieux de ce qui reste incompris que Louis s'est préparé à quitter le continent, conservant dans son cœur le secret espoir que ce sens-là lui fut conservé ?

Ici, en terre d'Amérique, dans ce qui fut jadis la Nouvelle-France, il découvrira à son grand regret, peut-être, que partout où il devra se rendre, de par le vaste monde, il sera toujours appelé à se heurter à « la stupidité prodigieuse des gens obtus ». Et parce qu'il n'a pas d'autres choix que celui qui s'impose de lui-même, il requiert les services de Mike O'Brady pour être l'instrument de la justice immanente. Ah ! le beau geste, franc, rationnel, compensatoire, relevant de la sublimation. Mais qu'importe le diagnostic final puisque tout est provisoire ! Il faut savoir que Louis Hémon, aventurier ou philosophe, avec toute la lucidité qu'on lui connaît, a décidé de survivre à lui-même en s'avouant, s'acceptant et se reconnaissant, d'une manière définitive, comme un être de liberté. Et là, je l'imagine aisément dans la peau de son « jumeau », à qui il fait regarder le plancher, sans répondre, un peu honteux, peut-être, de ses goûts déraisonnables.

En guise de conclusion, j'aime rappeler une anecdote des plus savoureuses qu'il me fut donné de vivre, à l'automne 1979, à Reims, capitale de la Champagne : invité à prendre la parole, je suis remercié par une femme d'une culture exceptionnelle. Sachant mon origine elle s'empresse de me dire combien les personnages figurant dans *Maria Chapdelaine* lui ont été sympathiques. Octogénaire, elle se souvenait de cette lecture comme si elle eut été toute fraîche ; ouvrant les bras puis les refermant sur elle-même, haussant légèrement les épaules, et penchant la tête cette religieuse ne put s'empêcher d'échapper : Ah ! François Paradis.

Et tout dans son regard et sa mimique disaient que cette femme avait compris que l'une des plus belles déclarations d'amour, l'un des plus beaux serments muets jamais écrits, jamais lus, jamais encore publiés chez nous, c'est Louis Hémon qui, par discrétion toujours, cède sa place à François Paradis, pour l'exprimer.

Aventurier ou philosophe, Hémon a su passer sous silence l'expérience passionnelle qui inspira ce livre. C'était là faire œuvre de génie. Car, dans toute notre littérature, jamais aveu n'avait été présenté de la sorte. Promesse singulière, échappée à la hâte, elle eut pour témoins quelques côteaux pierreux, des bois brûlés et, (oh ! privilège) elle se fit au milieu d'une belle talle de bleuets.

« Si l'on devait jamais découvrir à Hémon la moindre coquetterie d'auteur, il faudrait la chercher dans ses silences plutôt que dans ses écrits[60] ».

Je laisse à Daniel Halévy, le préfacier de *Battling Malone,* le soin de rendre un dernier hommage à celui que d'aucuns considèrent encore comme « le plus insaisissable des êtres » : « Rien n'est moins fondé que l'opinion qui fait de Louis Hémon, l'homme d'un livre ; il était, comme Dickens ou George Sand... et j'ajoute : ou comme chez nous, Gilles Vigneault et Félix-Antoine Savard, l'homme d'un poème innombrable, et de ce poème nous avons plusieurs chants. »

Gilbert Lévesque
membre de
la Société historique de Montréal,

coordonnateur des fêtes
marquant le centenaire de
LOUIS HÉMON.

Péribonka, ce 27 avril 1980.

Notes

1. Louvigny de Montigny, *La Revanche de Maria Chapdelaine,* Montréal, LACF, 1937, p. 9.
2. Nicole Deschamps, *Louis Hémon, lettres à sa famille,* Montréal, PUM, 1968, p. 197-199.
3. Alfred Ayotte et Victor Tremblay, *L'Aventure Louis Hémon,* Montréal, Fides, 1974, p. 43.
4. Guy Sylvestre, *Panorama des Lettres canadiennes-françaises,* Québec, MAC, 1964, p. 7.
5. Louis Hémon, *Maria Chapdelaine,* Paris, Nelson, 1944, p. 280.
6. Louis Hémon, *Colin-Maillard,* Paris, Grasset, 1924, p. 22.
7. Id., *ibid.,* p. 19.
8. Louis Hémon, *Maria Chapdelaine,* p. 280.
9. Louis Hémon, *Colin-Maillard,* p. 16.
10. Louis Hémon, *Battling Malone,* Paris, Grasset, 1925, p. 139.
11. Félix-Antoine Savard, visite à Québec le 22 avril 1980.
12. Lydia Louis-Hémon, lettre du 30 septembre 1979.
13. Id., *ibid.*
14. Alfred Ayotte et Victor Tremblay, *op. cit.,* p. 46.
15. Nicole Deschamps, *op. cit,* p. 149.
16. Lydia Louis-Hémon, interview du 26 septembre 1979 à Quimper, France.
17. Alfred Ayotte et Victor Tremblay, *op. cit.,* p. 49.
18. Denis Trottier, « La petite histoire de Péribonka », *Focus,* VII-VIII, 1979, nos 24-25, p. 86.
19. Raynald Talbot, *Maria Chapdelaine, récit du Canada français,* thèse présentée à l'université Laval, Québec, 1978, p. 40.

20. Daniel Halévy, préface de *Battling Malone,* p. XIV-XV.

21. Nicole Deschamps, *op. cit.,* p. 98.

22. Damase Potvin, *Le Roman d'un roman,* Québec, Quartier latin, 1950, p. 10.

23. Id., *ibid.,* p. 181.

24. Louis Hémon, *Monsieur Ripois et la Némésis,* Paris, Grasset, coll. « Les Cahiers verts », 1950.

25. Id., *ibid.,* p. 32.

26. Id., *ibid.,* p. 43.

27. Alfred Ayotte et Victor Tremblay, *op. cit.,* p. 84.

28. Id., *ibid.,* p. 101.

29. Id., *ibid.,* p. 61.

30. Id., *ibid.,* p. 81.

31. Nicole Deschamps, *op. cit.,* p. 18.

32. Alfred Ayotte et Victor Tremblay, *op. cit.,* p. 83.

33. Id., *ibid.,* p. 340.

34. Damase Potvin, *op. cit.,* p. 185.

35. Louvigny de Montigny, *op. cit.,* p. 9.

36. Alfred Ayotte et Victor Tremblay, *op. cit.,* p. 140.

37. Lydia Louis-Hémon, lettre du 3 novembre 1979.

38. Alfred Ayotte et Victor Tremblay, *op cit.,* p. 143.

39. Louis Hémon, *Maria Chapdelaine,* p. 121.

40. Id., *ibid.,* p. 148.

41. Alfred Ayotte et Victor Tremblay, *op. cit.,* p. 213-214.

42. Claude-Henri Grignon, *Les Pamphlets de Valdombre,* n° 4, mars 1938, p. 155-168.

43. Louis Hémon, *Monsieur Ripois et la Némésis,* p. 10.

44. Id., *ibid.,* p. 166.

45. Id., *ibid.,* p. 172.

46. Raynald Talbot, *op cit.,* 91.

47. Louis Hémon, *Monsieur Ripois et la Némésis,* p. 191.

48. Id., *ibid.,* p. 196.

49. Julien Green, *L'Autre,* Paris, Plon, 1971, p. 439.

50. Michel Butor, *Essai sur les essais,* Paris, Gallimard, 1968, p. 68.

51. Louis Hémon, *Monsieur Ripois et la Némésis,* p. 257.

52. Id., *ibid.,* p. 315.

53. Alfred Ayotte et Victor Tremblay, *op. cit.,* p. 318.

54. Louis Hémon, *Maria Chapdelaine,* p. 280.

55. Raynald Talbot, *op. cit.,* p. 31.

56. Louis Hémon, *Maria Chapdelaine,* p. 60.

57. Id., *ibid.,* p. 26.

58. Louis Hémon, *Colin-Maillard,* p. 6.

59. Id., *ibid.,* p. 84.

60. Nicole Deschamps, *op. cit.,* p. 12.